El gusto

D1745450

Las palabras destacadas en el texto
en *cursiva* están explicadas en la página 32.

Dirección científica y redacción:
Andreu Llamas Ruiz, biólogo
Ilustración: Francisco Arredondo

Realización: Ediciones Este, S.A.
Director Editorial: Josep M. Parramón Homs
Editor: Isidro Sánchez
Layout: Roger Hebrard
Diseño gráfico: Rosa M. Moreno

© Ediciones Este, S.A. 1995
I.S.B.N. 84-89515-10-7
Depósito legal: B-35653-1995

Edición Especial para Chelsea House Publishers
I.S.B.N. Colección: 0-7910-4000-3
I.S.B.N. El gusto: 0-7910-4007-0
                    0-7910-4008-9 (rústica)

Fotocomposición y fotomecánica: Fimar, S.A
Barcelona (España)
Impresión: Carvigraf. Barcelona (España)

El gusto

CHELSEA HOUSE PUBLISHERS
New York • Philadelphia

¿Qué es el gusto?

El gusto es un sentido "químico" muy especial, que permite identificar sustancias disueltas.

Para lograrlo es necesario que estas sustancias lleguen hasta unas células sensitivas que reciben el nombre de quimiorreceptores. Entonces, cuando entran en contacto la sustancia y su receptor, se desencadenan unas sensaciones nerviosas que permiten la detección del sabor, aunque en realidad no existen nervios especiales para el sentido del gusto.

Los receptores del sentido del gusto reciben el nombre de botones gustativos y están formados por dos clases de células: las células de sostén (que dan forma y sostienen la estructura) y las células gustativas.

La cantidad de células gustativas que hay en cada botón puede variar mucho, y en el hombre el número es de 4 a 20.

Cada una de estas pequeñas células tiene una minúscula pestaña en el extremo, y en los mamíferos esta pestaña se prolonga hacia el interior de una pequeña depresión que forma el poro gustativo.

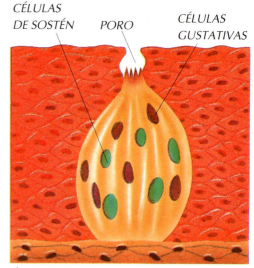

CÉLULAS DE SOSTÉN   PORO   CÉLULAS GUSTATIVAS

Éste es el aspecto muy ampliado de un corpúsculo gustativo.

El gusto proporciona una información muy importante de los alimentos que se toman, ya que puede advertir de la presencia de veneno o de la carne en descomposición. El cerebro es el encargado de analizar esa información que recibe y tomar una decisión.

El anfioxus es un animal primitivo que tiene unos grupos de células sensibles al gusto situadas en el velo y en los cirros bucales.

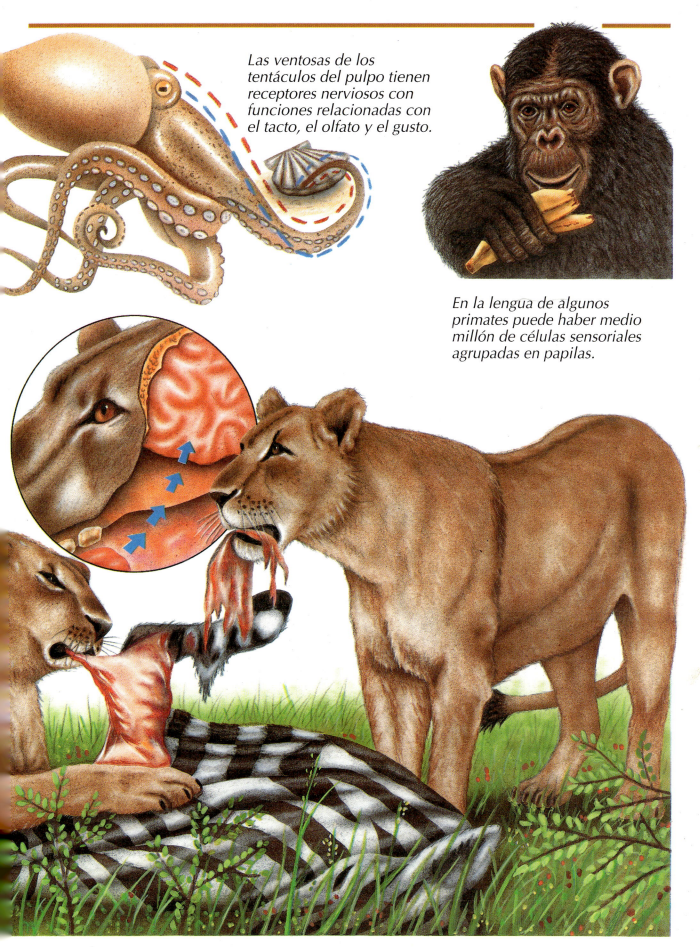

Las ventosas de los tentáculos del pulpo tienen receptores nerviosos con funciones relacionadas con el tacto, el olfato y el gusto.

En la lengua de algunos primates puede haber medio millón de células sensoriales agrupadas en papilas.

La lengua de los mamíferos

La lengua de los vertebrados es un órgano carnoso que se encuentra dentro de la cavidad bucal.

Su principal función es ayudar a la masticación de la comida, y a empujar el *bolo alimenticio* hacia la faringe. La lengua está totalmente cubierta por una mucosa de aspecto rugoso; este aspecto se debe a la existencia de las *papilas gustativas*. Las papilas son elevaciones de la mucosa que contienen los receptores de los estímulos del gusto.

En realidad, los mamíferos tienen receptores gustativos en diferentes partes del *epitelio* de la boca y la faringe, pero la mayoría de ellos están en las papilas de la lengua.

La lengua tiene muchos tipos de papilas diferentes, que pueden tener o no relación con el gusto.

Las más frecuentes en los mamíferos son las filiformes, las fungiformes (con forma de hongo), las foliadas (con forma de hoja) y las circunvaladas o caliciformes (que son grandes y están en un número reducido).

En los dibujos de la parte inferior de esta página puedes ver los aspectos tan distintos que tienen los diversos tipos de papilas.

Por otra parte, la lengua contiene unos músculos muy bien desarrollados, lo que permite que tenga una gran movilidad.

Éste es el aspecto de la superficie de la lengua de un mamífero muy aumentada. Las papilas gustativas parecen hongos.

Existen varios tipos de papilas que se diferencian por su forma y su situación en la lengua.

PAPILA
ESFEROIDEA

PAPILA
CORALIFORME

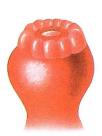

PAPILA
CALICIFORME

PAPILA
EN BOTÓN

PAPILA
FILIFORME

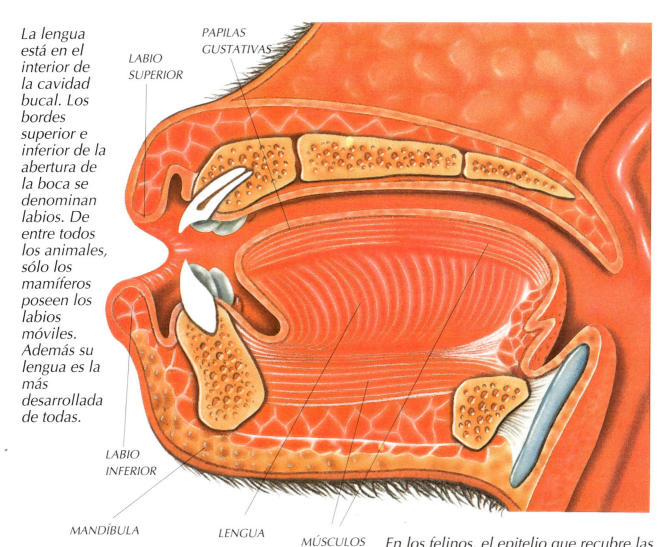

La lengua está en el interior de la cavidad bucal. Los bordes superior e inferior de la abertura de la boca se denominan labios. De entre todos los animales, sólo los mamíferos poseen los labios móviles. Además su lengua es la más desarrollada de todas.

PAPILAS GUSTATIVAS

LABIO SUPERIOR

LABIO INFERIOR

MANDÍBULA

LENGUA

MÚSCULOS

En los felinos, el epitelio que recubre las papilas está muy cornificado; por este motivo la superficie de la lengua es muy áspera, lo que les ayuda a limpiar la carne de los huesos.

La lengua de este perro le ayuda a refrescarse mediante el jadeo. En la lengua hay muchos vasos sanguíneos. Cuando cuelga fuera de la boca, el perro espira con rapidez. Entonces se evapora la humedad de la superficie de la lengua enfriándola y refrescando al animal.

Los sabores

¿Cómo conseguimos percibir de una forma tan diferente los sabores dulces, salados, amargos o ácidos?

La sensación del sabor proviene de la interpretación que hace el cerebro de las señales que recibe desde los receptores gustativos.

Normalmente se considera que hay cuatro sensaciones gustativas principales: dulce, salado, amargo y ácido o agrio. En los sabores influye mucho el sentido del olfato, ya que antes de saborear algo siempre se percibe primero su olor.

En los mamíferos, la punta de la lengua es más sensible a los sabores dulces y salados, mientras que las zonas laterales son más sensibles a los ácidos.

Al comer, los animales reciben las sensaciones agradables que provienen de la interpretación que lleva a cabo el cerebro: éste transforma en un "código especial" las asociaciones entre las *moléculas* que componen los alimentos y los receptores de las papilas gustativas.

Lo dulce siempre es agradable, y lo amargo desagradable, mientras que lo ácido y lo salado provocan reacciones intermedias.

AMARGO

ÁCIDO

SALADO Y DULCE

Distribución de los receptores de los distintos sabores sobre la superficie de la lengua. En la ampliación, papilas caliciformes, especialmente sensibles a los sabores amargos.

Estos rebecos chupan las paredes de una presa de un río de alta montaña para obtener las sales que necesitan en su dieta.

Algunas mariposas se protegen de sus enemigos gracias al desagradable sabor amargo que tienen. Otras incluso pueden tener sustancias tóxicas ¡como por ejemplo cianuro!

La atracción de algunos animales por el sabor dulce es irresistible. El manjar favorito de los osos es la miel, y si tienen la suerte de encontrar una colmena la rompen a zarpazos para saborearla. Afortunadamente para ellos, gracias a su grueso pelaje las picaduras de las abejas no les hacen ningún daño.

La lengua de los insectos

El gusto y el olfato son muy importantes para los insectos.

En muchos insectos el órgano del gusto está localizado en la boca, pero otros tienen receptores del gusto repartidos por otras zonas del cuerpo.

Si te fijas en una avispa que se pose sobre comida, verás cómo empieza a rastrear su superficie con las antenas: está consiguiendo más información gracias al sentido del gusto, ya que las hormigas, las abejas y las avispas son capaces de distinguir los sabores sirviéndose de sus antenas.

En los insectos es también muy frecuente la exixtencia de receptores gustativos nada menos que en las patas.

A algunos insectos determinados sabores les desagradan mucho: las orugas escupen las sustancias saladas o amargas. Sin embargo, entre los insectos que se alimentan de plantas la elección de la comida depende de muchos sabores, que no pueden ser clasificados simplemente como dulces, salados o amargos. Por eso, muchas plantas han acumulado sustancias de sabores fuertes, que repelen a los insectos. Aunque algunos se han acostumbrado rápidamente a estos sabores.

Las orugas de muchas mariposas del género Papilio se alimentan de plantas que contienen aceites esenciales de sabores repelentes.

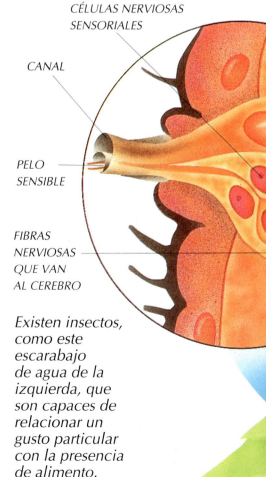

CÉLULAS NERVIOSAS SENSORIALES

CANAL

PELO SENSIBLE

FIBRAS NERVIOSAS QUE VAN AL CEREBRO

Existen insectos, como este escarabajo de agua de la izquierda, que son capaces de relacionar un gusto particular con la presencia de alimento.

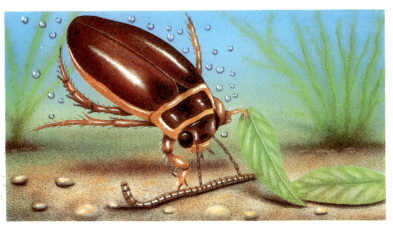

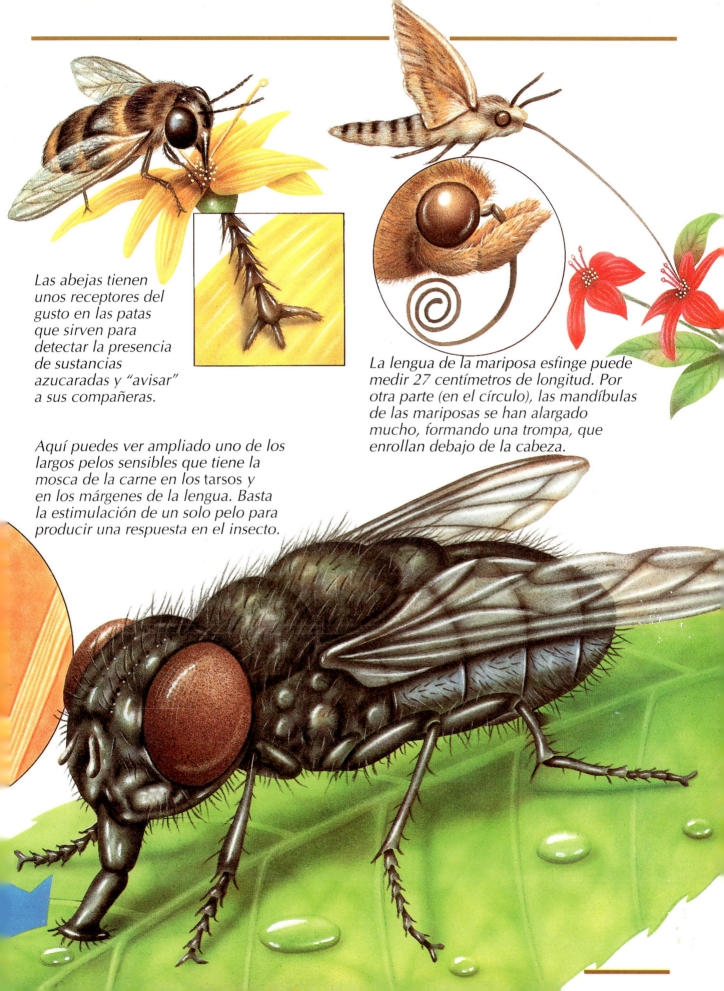

Las abejas tienen unos receptores del gusto en las patas que sirven para detectar la presencia de sustancias azucaradas y "avisar" a sus compañeras.

Aquí puedes ver ampliado uno de los largos pelos sensibles que tiene la mosca de la carne en los tarsos y en los márgenes de la lengua. Basta la estimulación de un solo pelo para producir una respuesta en el insecto.

La lengua de la mariposa esfinge puede medir 27 centímetros de longitud. Por otra parte (en el círculo), las mandíbulas de las mariposas se han alargado mucho, formando una trompa, que enrollan debajo de la cabeza.

El gusto bajo el agua

Bajo el agua el sentido del gusto y el sentido del olfato se mezclan en muchos animales.

Las sustancias viajan disueltas en el agua y pueden llegar simultáneamente a los receptores del gusto y a los del olfato. En los peces hay mucha variación en la posición que ocupan las células receptoras del gusto: en algunos de ellos los botones gustativos están en la superficie de la cabeza, y también en la boca y la faringe; en cambio en los peces que se alimentan de carroña (como la carpa, el pez gato, etc.), los botones gustativos están repartidos por todo el cuerpo, ¡incluidas la cola y las aletas! Sin embargo, la *evolución* ha provocado que, en los animales cada vez más evolucionados, las células receptoras del gusto tengan una tendencia a agruparse en el epitelio bucal, en el faríngeo y en la lengua, es decir, en la parte delantera del animal.

Los peces tienen una lengua muy primitiva: sólo es un pliegue carnoso que se desarrolla a partir de la base de la cavidad bucal. Esta lengua no tiene musculatura propia, así que prácticamente carece de movilidad. A pesar de todo, puede presentar receptores sensoriales.

En algunos peces, como el tiburón y la raya, las células sensibles al gusto están en las papilas que hay en el epitelio de la boca y de la faringe.

En algunos peces teleósteos, *como este salmón,* ¡puede haber dientes sobre la lengua!

Los ciclóstomos son peces de aspecto amenazador. Su boca carece de mandíbulas, y los adultos tienen unos botones gustativos en la superficie de la cabeza.

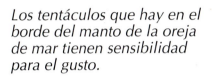

Los tentáculos que hay en el borde del manto de la oreja de mar tienen sensibilidad para el gusto.

Las gorgonias no tienen órganos sensoriales especializados, pero a pesar de eso son capaces de detectar la presencia de sustancias alimenticias o químicas.

Los cohombros de mar tienen la piel llena de terminaciones nerviosas, que envían los mensajes químicos que detectan en dirección hacia los órganos sensoriales.

El sentido del gusto de los anfibios

Los anfibios fueron los primeros vertebrados que tuvieron una lengua verdadera para humedecer y mover la comida en la boca.

En los anfibios los receptores del gusto se encuentran en varios sitios: en la lengua, en la parte superior del interior de la boca y en el epitelio de las mandíbulas.

La mayoría de ranas y sapos tienen una lengua muy móvil que puede ser proyectada fuera de la boca: ¡es utilísima para capturar a los animales de los que se alimentan, pues la lanzan a tal velocidad, que los pobres insectos no tienen escapatoria!

La base de la lengua está unida al borde delantero de la mandíbula, lo que permite lanzarla a mucha distancia. Cuando la tienen quieta, la mantienen hacia atrás, sobre el fondo de la boca.

Todas las ranas y sapos producen venenos en unas glándulas especiales de la piel. Aunque en muchos casos los venenos son poco potentes, algunas especies producen venenos muy poderosos.

Algunas salamandras pueden lanzar directamente su lengua con forma de hongo, y luego la vuelven a recoger con gran rapidez.

Este sapo tiene muchas glándulas en su piel verrugosa. Las glándulas segregan una sustancia desagradable y tóxica que, más que para matar, sirve para disuadir a los depredadores.

GLÁNDULA MUCOSA

GLÁNDULA VENENOSA

EPIDERMIS

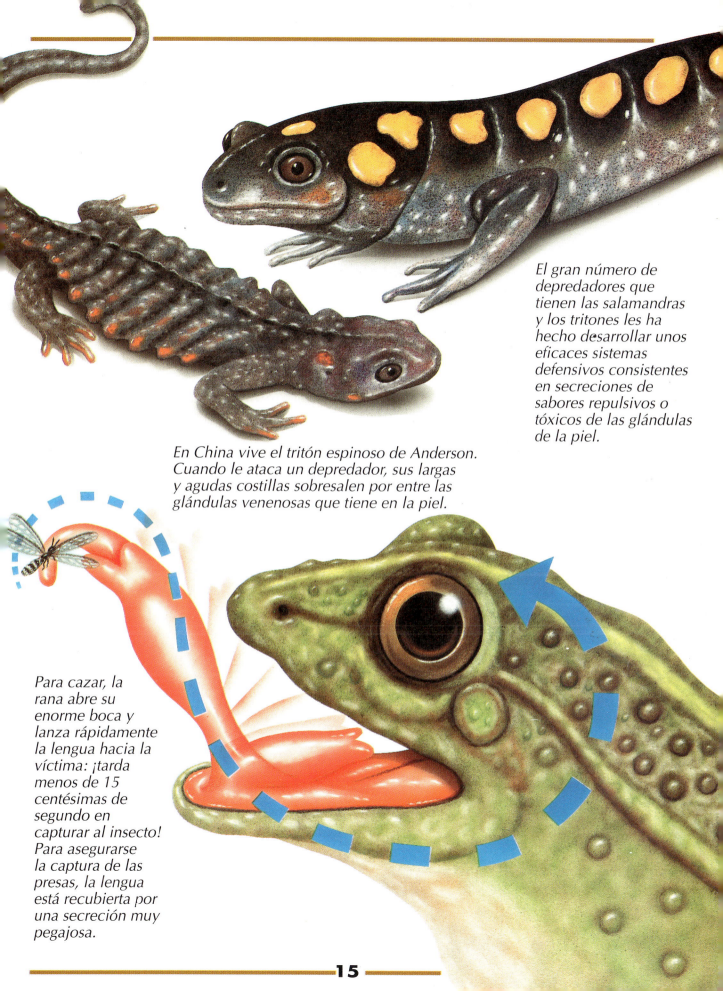

El gran número de depredadores que tienen las salamandras y los tritones les ha hecho desarrollar unos eficaces sistemas defensivos consistentes en secreciones de sabores repulsivos o tóxicos de las glándulas de la piel.

En China vive el tritón espinoso de Anderson. Cuando le ataca un depredador, sus largas y agudas costillas sobresalen por entre las glándulas venenosas que tiene en la piel.

Para cazar, la rana abre su enorme boca y lanza rápidamente la lengua hacia la víctima: ¡tarda menos de 15 centésimas de segundo en capturar al insecto! Para asegurarse la captura de las presas, la lengua está recubierta por una secreción muy pegajosa.

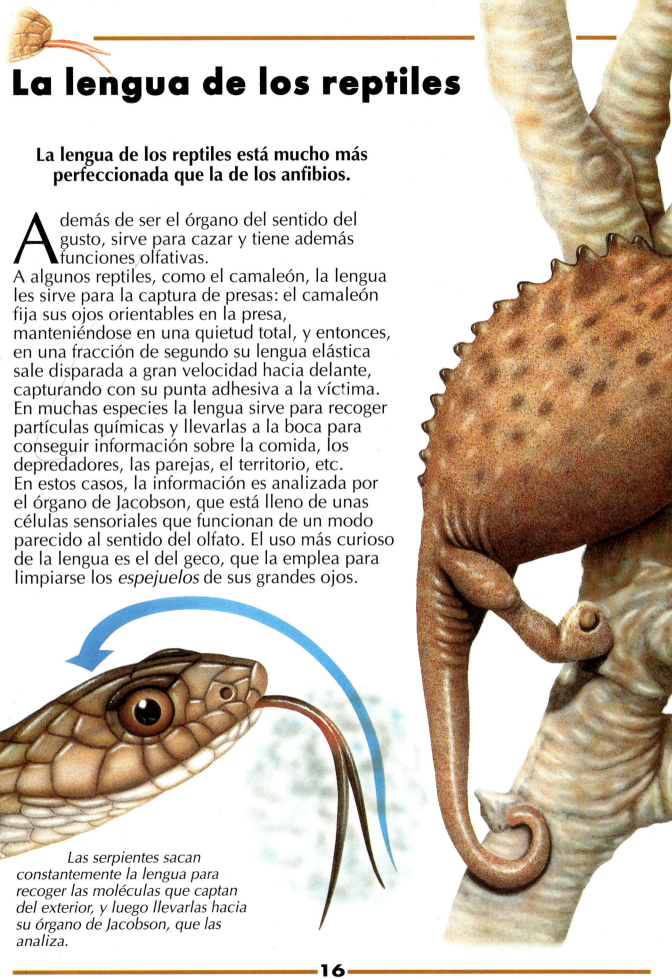

La lengua de los reptiles

La lengua de los reptiles está mucho más perfeccionada que la de los anfibios.

Además de ser el órgano del sentido del gusto, sirve para cazar y tiene además funciones olfativas.

A algunos reptiles, como el camaleón, la lengua les sirve para la captura de presas: el camaleón fija sus ojos orientables en la presa, manteniéndose en una quietud total, y entonces, en una fracción de segundo su lengua elástica sale disparada a gran velocidad hacia delante, capturando con su punta adhesiva a la víctima. En muchas especies la lengua sirve para recoger partículas químicas y llevarlas a la boca para conseguir información sobre la comida, los depredadores, las parejas, el territorio, etc. En estos casos, la información es analizada por el órgano de Jacobson, que está lleno de unas células sensoriales que funcionan de un modo parecido al sentido del olfato. El uso más curioso de la lengua es el del geco, que la emplea para limpiarse los *espejuelos* de sus grandes ojos.

Las serpientes sacan constantemente la lengua para recoger las moléculas que captan del exterior, y luego llevarlas hacia su órgano de Jacobson, que las analiza.

El camaleón calcula la distancia que le separa del insecto con la vista, y espera el momento oportuno para lanzar su ataque. La lengua del camaleón es tan larga como su cabeza y cuerpo juntos, y el moco pegajoso que tiene en la punta le garantiza que no se va a escapar la presa.

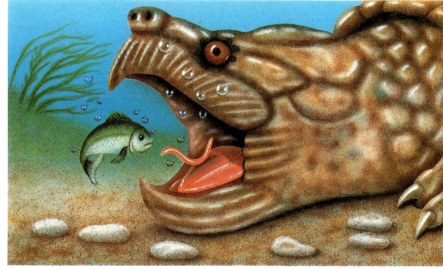

La tortuga aligator utiliza un curioso señuelo para atraer a los peces: en la lengua tiene una formación con aspecto de gusano, que se llena de sangre y se vuelve de un llamativo color rosa cuando se acerca una presa. ¡Pobre del pez que se acerque para atrapar lo que él cree un indefenso gusanito!

El cíclodo de Boddaert, que vive en Australia, es lento y un poco torpe. Por eso utiliza su lengua coloreada para asustar a sus depredadores, amenazándoles con las mandíbulas abiertas.

El gusto de las aves

Las aves tienen buena vista y buen oído, algunas incluso un fino olfato, pero han desarrollado muy poco el sentido del gusto.

El gusto no es un sentido importante para ellas. La mayoría de las aves tienen una lengua córnea, que está desprovista de botones gustativos.

Sin embargo, hay aves como los loros que tienen una lengua grande y carnosa que sí posee muchísimos botones gustativos.

El sentido del gusto está menos desarrollado en las aves que se alimentan de grano.

En realidad, un ave que buscando semillas picotea la arena del suelo, no puede saber gracias al pico si ha atrapado algo sabroso o no, y los científicos creen que lo aprende después de experimentarlo.

Por otra parte, en la mayoría de las aves la lengua carece prácticamente de musculatura y, además, normalmente está recubierta por material córneo, lo que dificulta mucho su movilidad.

Las primeras aves tenían la boca armada con afilados dientes, pero poco a poco, a lo largo de la evolución, la sustituyeron por el pico, "estuche" que también tienen algunos reptiles, como las tortugas.

Los picos picapinos tienen una lengua increíblemente larga, en cuya punta hay unos finos pinchos dirigidos hacia atrás, que sirven para capturar larvas de insectos e impedirles que se escapen: ¡igual que arpones!

Los picos de las aves se han modificado para adaptarse a las distintas condiciones. En algunos casos se han transformado en fuertes armas, en otros son "instrumentos de precisión" para alimentarse y a veces tienen formas y colores llamativos para atraer a la pareja.

GARZA

BUITRE

FLAMENCO

CÁLAO

Los loros son las aves con el sentido del gusto más desarrollado, gracias a los numerosos receptores gustativos que tienen en sus lenguas carnosas.

En la mayoría de aves el sentido del gusto cumple una función secundaria. Para estos buitres son más importantes el olfato y la vista, ya que son los sentidos que les ayudan a encontrar a sus presas.

Los sentidos químicos

Todos los seres vivos deben ser capaces de recibir información del medio que les rodea.

Incluso los animales más minúsculos y primitivos están dotados de sistemas para detectar los estímulos necesarios que garanticen su supervivencia.

Sin embargo, a los animales que son muy lentos, como por ejemplo los más pequeños (incluso microscópicos), sólo les afecta su entorno más cercano.

Por este motivo para la mayoría de ellos sólo cuentan los sentidos de alcance más limitado, como son el tacto y el gusto.

Si se trata de animales unicelulares, es decir, que están formados por una sola célula, entonces la membrana celular que les rodea es muy sensible a las sustancias químicas con las que entra en contacto, ya que es muy importante descubrir si se trata de comida o de un enemigo: a esa sensibilidad especial se la denomina "quimiotactismo", y es lo que hace que estos diminutos organismos avancen en dirección a los alimentos o retrocedan ante la presencia de un depredador.

Por otra parte, muchos pequeños vertebrados que viven en el agua tienen toda la superficie del cuerpo sensible a las sustancias químicas; también los anfibios poseen este "sentido químico" en la piel.

Esta ameba emite unas prolongaciones de su cuerpo, que reciben el nombre de seudópodos, para atrapar a una de sus presas a la que ha detectado y reconocido gracias a su especial sentido del quimiotactismo. Es un organismo muy sensible a los "gustos" de las partículas con las que entra en contacto.

Los platelmintos tienen dos tipos de receptores químicos: el primero detecta los objetos relativamente alejados (olfato), mientras que el segundo se encarga de los objetos más próximos (gusto).

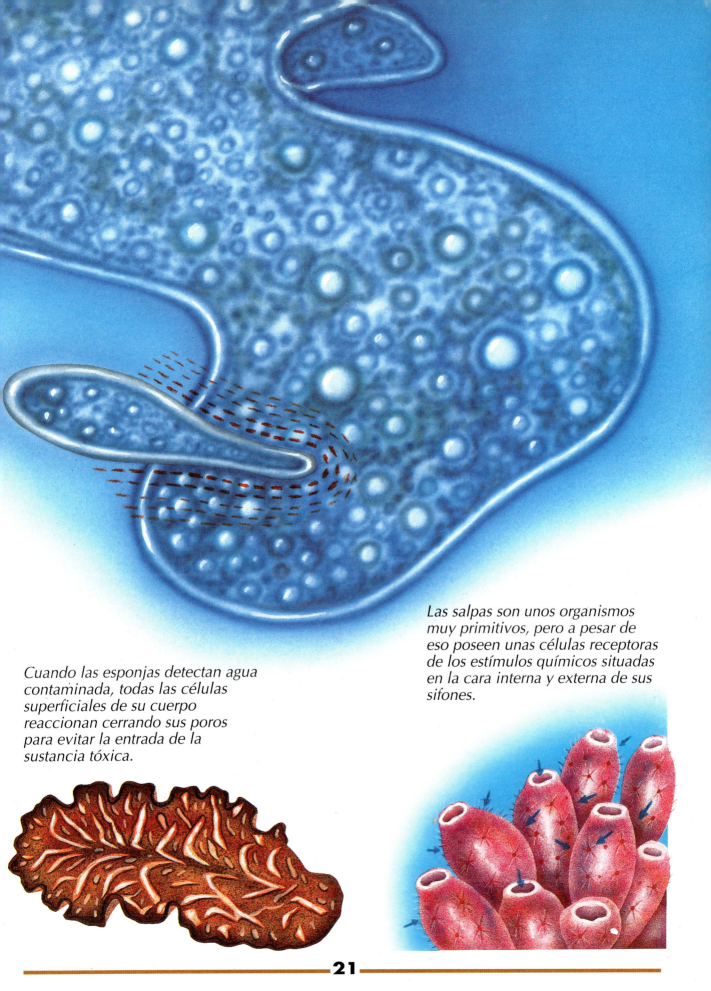

Las salpas son unos organismos muy primitivos, pero a pesar de eso poseen unas células receptoras de los estímulos químicos situadas en la cara interna y externa de sus sifones.

Cuando las esponjas detectan agua contaminada, todas las células superficiales de su cuerpo reaccionan cerrando sus poros para evitar la entrada de la sustancia tóxica.

Glándulas de la boca

En la boca de los animales desembocan muchas glándulas que tienen funciones diferentes.

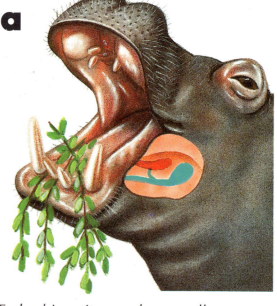

Las *glándulas* aparecieron por primera vez en los vertebrados terrestres, y su función principal es humedecer el alimento y lubricarlo para facilitar su *deglución*.
A lo largo de la evolución las formas superiores fueron especializando las glándulas de la boca para tomar parte en la digestión y ¡también en la captura de presas!
Por este motivo las glándulas bucales de los reptiles están mucho más localizadas que las de los anfibios, destacando las glándulas palatina, linguales, labiales, etc.
En la boca de las aves también desembocan diversas glándulas (sublinguales, angulares, etc.), e incluso tienen numerosos grupos de pequeñas glándulas aisladas en el techo de la boca.
En la lengua y el paladar de los mamíferos hay muchas glándulas. Los mamíferos son los únicos que tienen "glándulas salivales", que son bastante grandes y se agrupan de formas muy definidas.
Existen tres tipos principales: las glándulas parótidas, la glándula submaxilar (en la parte posterior de la mandíbula) y la glándula sublingual.

En los hipopótamos, los camellos, las vacas, etc., existen unas glándulas molares mucosas bien desarrolladas cuya secreción sirve para ayudar al paso de los vegetales tan ásperos con los que se alimentan.

La lamprea posee una glándula que segrega una sustancia anticoagulante para facilitar la salida de la sangre del animal al que está atacando.

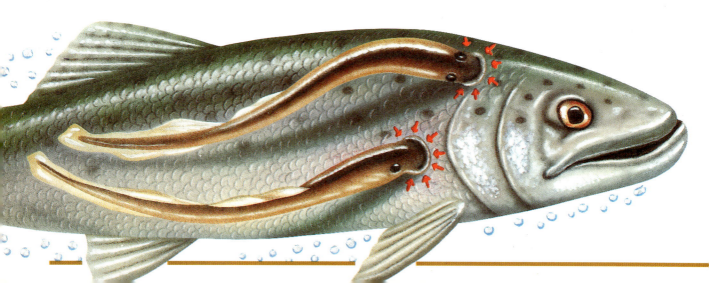

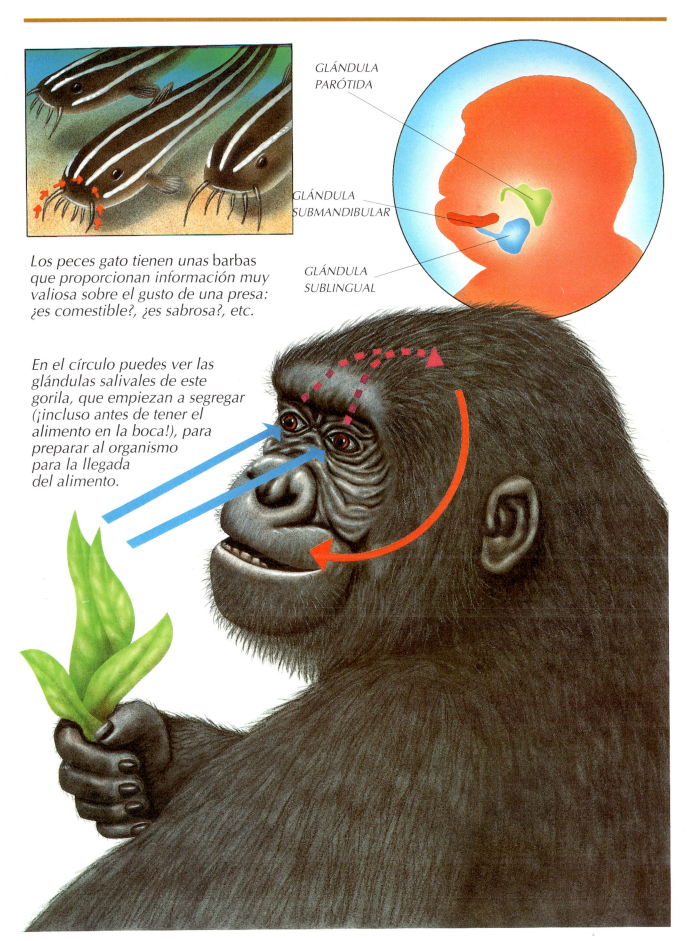

GLÁNDULA
PARÓTIDA

GLÁNDULA
SUBMANDIBULAR

GLÁNDULA
SUBLINGUAL

Los peces gato tienen unas barbas
que proporcionan información muy
valiosa sobre el gusto de una presa:
¿es comestible?, ¿es sabrosa?, etc.

En el círculo puedes ver las
glándulas salivales de este
gorila, que empiezan a segregar
(¡incluso antes de tener el
alimento en la boca!), para
preparar al organismo
para la llegada
del alimento.

Los venenos

Las serpientes son temidas por los otros animales, incluido el hombre, debido a la acción fulminante de sus venenos sobre sus presas.

Sin embargo, de las 2.700 especies de serpientes actuales, sólo una tercera parte es venenosa.

En ellas, algunas glándulas se han modificado para producir veneno, que normalmente es inyectado en las presas mediante unos dientes especializados, en cuyo interior existe un canal para el paso del veneno.

No sólo las serpientes fabrican veneno: el monstruo de Gila es un lagarto cuyo veneno inmoviliza rápidamente a la presa, pero además sirve para iniciar su digestión. No es extraño que sea así, pues según se cree, los venenos de los reptiles evolucionaron a partir de los jugos digestivos.

Las serpientes nunca inyectan más de la mitad de su veneno en un solo mordisco: así están preparadas por si hay una "emergencia".

El veneno contiene sustancias que bloquean la transmisión de los impulsos nerviosos a los músculos de las víctimas de su mordedura, provocando una parálisis; también producen hemorragias internas.

¡Es un arma temible!

La saliva de muchas serpientes, como la de esta culebra, es tóxica para este pequeño ratón. Pero no es lo bastante venenosa para animales mayores o para el ser humano.

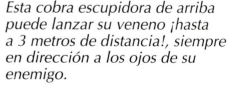

Esta cobra escupidora de arriba puede lanzar su veneno ¡hasta a 3 metros de distancia!, siempre en dirección a los ojos de su enemigo.

La serpiente de cascabel agita el final de su cola para producir un ruido muy característico. Es su forma de avisar antes de lanzar el ataque: así puede hacer retroceder a sus enemigos sin necesidad de malgastar el veneno.

A la derecha puedes ver la diferente forma y posición del aparato venenoso de las distintas especies de serpientes. Los venenos más potentes los tienen la serpiente de Dubois y dos serpientes terrestres australianas: el taipán del desierto y la cobra terrestre australiana.

Serpientes aglifas: Son las menos evolucionadas, como las culebras de agua. No tienen dientes para inyectar el veneno.

La glándula venenosa tiene unos conductos que desembocan en la cavidad o en el surco del colmillo venenoso.

Serpientes opistoglifas: Tienen unos colmillos venenosos, situados en la parte posterior, un poco más largos que los demás.

CANAL
DEL
VENENO

Serpientes proteroglifas: Son muy peligrosas, como las cobras, las mambas, las serpientes de coral, etc. Tienen los dientes en la parte delantera.

SALIDA DEL
VENENO

Serpientes solenoglifas: Son las que tienen un aparato venenoso más evolucionado (como las víboras, las serpientes de cascabel, etc.)

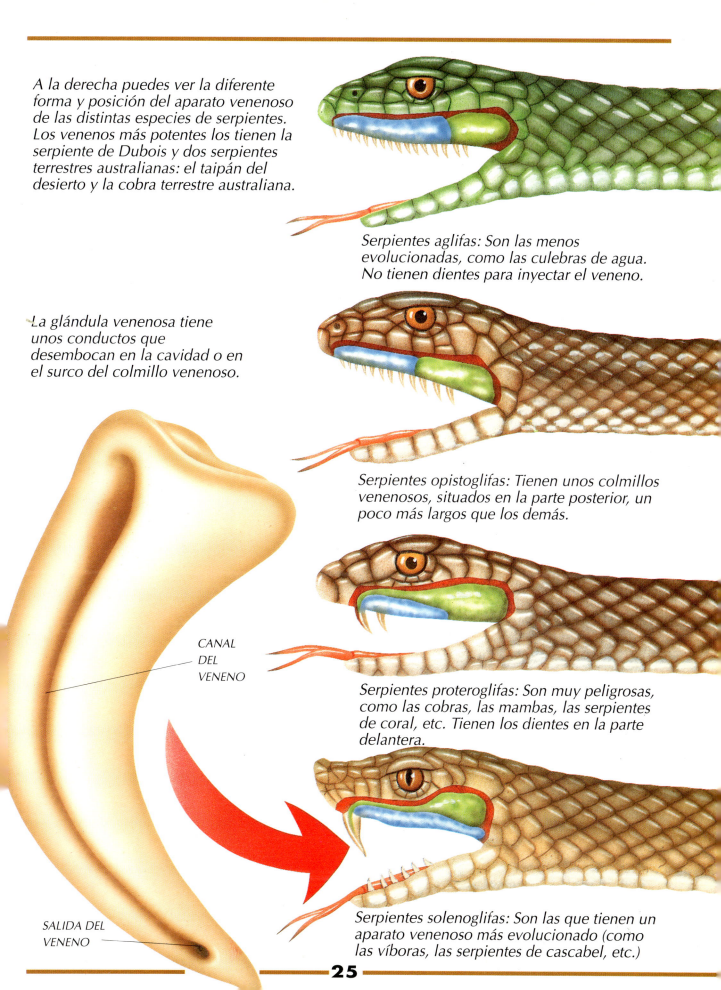

Armas químicas

Los animales han desarrollado unas "armas" muy especiales basadas en el sentido del gusto.

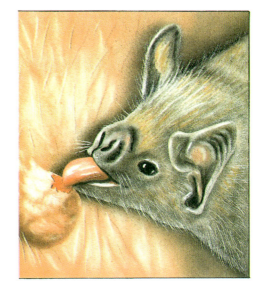

Los vampiros no chupan la sangre, sino que la lamen. Para evitar que la herida se cierre al coagularse la sangre, la saliva del vampiro contiene un anticoagulante que le permite alimentarse de la misma herida durante más de un cuarto de hora e incluso una hora.

Al igual que nosotros, muchos animales prefieren unos sabores a otros, de manera que un sistema defensivo perfecto consiste en tener un sabor cuanto más repugnante mejor. Algunos animales han ido todavía más lejos en su guerra química. Los nudibranquios, por ejemplo, son moluscos marinos cuyos cuerpos blandos multicolores no tienen la protección de una concha. Entonces, ¿cómo sobreviven? Algunos de ellos han aprendido a comer las células urticantes de las anémonas y luego ¡acumulan ese veneno en el interior de sus propios tentáculos!, con lo que consiguen un perfecto mecanismo defensivo.

Otro ejemplo de relación química especial es la que mantienen los peces payaso con las anémonas.

Normalmente las anémonas atacan y devoran peces, pero en cambio los peces payaso viven entre sus tentáculos sin sufrir ningún daño. El "truco" consiste en que el cuerpo del pez está totalmente recubierto por una mucosidad que tiene la propiedad de impedir la descarga de las células venenosas de la anémona.

Sólo existen dos tipos de lagartos venenosos en el mundo: el monstruo de Gila y el lagarto de collar. Aquí puedes ver al monstruo de Gila, que muerde a su presa con sus fuertes mandíbulas y no la suelta mientras deja que el veneno se derrame lentamente por la herida.

También algunas musarañas y topos tienen armas químicas. Esta musaraña es capaz de dar mordeduras muy dolorosas debido a las sustancias tóxicas que inocula en sus víctimas.

Muchos anfibios, como esta rana Dendrobates, cubren su piel con colores llamativos para advertir a sus enemigos de que tienen el cuerpo cubierto con una sustancia tóxica de sabor desagradable y que, en este caso, ¡es mortal!

Las salamandras apulmonadas de bosque tienen un sistema defensivo muy especial: desprenden una secreción pegajosa que puede dejar pegadas las mandíbulas de la serpiente que intenta atacarlas. ¡Es más eficaz que el mejor pegamento!

Los nudibranquios son moluscos marinos con el sentido del gusto muy desarrollado. Está localizado en las terminaciones nerviosas de los tentáculos de la parte anterior del cuerpo.

Plantas "indigestas"

Muchos animales que se alimentan de plantas han tenido que desarrollar mecanismos defensivos porque existen plantas que son venenosas.

lgunas plantas fabrican toxinas que envenenan al herbívoro que las ataca; otras prefieren producir sustancias que alteran el ciclo de crecimiento de su atacante o su capacidad para digerir la planta.

Los herbívoros han desarrollado sus propias estrategias para hacer frente a esta guerra química. Incluso algunos insectos han convertido las sustancias perjudiciales de la planta en fuentes de alimento o en "armamento" químico.

El sentido del gusto puede ser decisivo para salvar la vida del animal que intenta devorar alguna de estas plantas.

Por otra parte, resulta curioso que las *acacias* sean capaces de "avisarse" ante la presencia de un animal.

Cuando una acacia es atacada por un herbívoro, sus hojas liberan al aire una sustancia muy especial y, después de diez o quince minutos, todas las acacias situadas en 50 metros a la redonda han puesto en marcha un sorprendente mecanismo defensivo: ¡todas sus hojas se han vuelto tóxicas!

Algunas plantas, como este cuernecillo, producen unas sustancias tóxicas que son letales para sus depredadores. El caracol ha muerto porque su sentido del gusto no le ha advertido del peligro que corría.

La planta del tomate no mantiene siempre sus sustancias defensivas en estado de alerta. Sin embargo, cuando es atacada fabrica rápidamente unas sustancias que dificultan mucho la digestión del animal.

La larva de la mariposa monarca de la izquierda se alimenta con una planta venenosa. Así acumula poco a poco las sustancias tóxicas de la planta.

Gracias a su sabor repelente, esta planta ha convencido a esta oruga para que no la devore. Seguro que la oruga se lo pensará dos veces ante de volver a morder la planta.

Cuando la monarca se convierte en adulta, si algún insectívoro la devora se pone muy enfermo, de manera que nunca más volverá a comer otra mariposa monarca. ¡Seguro que no!

Lenguas muy curiosas

La forma de la lengua ha ido variando muchísimo a lo largo de la evolución, y en cada especie se ha adaptado a su particular tipo de alimentación.

En algunos casos las lenguas han adquirido formas y tamaños espectaculares.
La lengua más grande que existe es, sin duda, la de las ballenas. Sin embargo, aunque puede llegar a superar ¡las 4 toneladas de peso!, no es demasiado sensible al gusto. Esto se debe a que la ballena utiliza la lengua sobre todo para empujar hacia fuera toda el agua que ha entrado al abrir la boca para comer. Además, en vez de estar suelta en la punta, se mantiene unida a la mandíbula inferior en toda su longitud.
También las aves pueden presentar lenguas sorprendentes: los colibríes pueden alimentarse exclusivamente del néctar de las flores, que succionan gracias a su larga lengua tubular; además todos tienen un pico muy afilado (y algo curvado) que puede introducir muy bien en las *corolas* de las flores. ¡Incluso existen animales (como los caracoles) que tienen unos dientes córneos en la lengua, que les sirven para raspar y desgarrar los alimentos!

El oso hormiguero es el mayor enemigo de las hormigas, ya que su larga y pegajosa lengua puede llegar a todos los rincones del hormiguero.

La jirafa tiene una larguísima lengua que puede alcanzar los 46 centímetros de longitud. Es muy sensible y le sirve para seleccionar las hojas que quiere comer. Para ello, la enrosca a las ramas y acerca éstas a la boca.

Algunas especies de murciélagos tienen una lengua larga y cubierta de erizadas papilas, que utilizan para alimentarse con néctar y polen.

La lengua del colibrí tiene la forma de un delgado tubo que se introduce en la flor para chupar el dulce néctar, mientras el colibrí se mantiene en el aire moviendo las alas más de cincuenta veces por segundo.

Existe un pequeño marsupial en Australia, el oposum pigmeo (arriba), que tiene una lengua con una especie de cepillo en la punta: le sirve para raspar y sorber el néctar de las flores.

Glosario

acacias. Género de árboles leguminosos con las flores situadas en forma de racimos colgantes; son muy conocidas las acacias de la sabana africana.

barbas. Láminas de la boca de la ballena que sirven para filtrar el alimento. También reciben este nombre unas formaciones que tienen algunos animales por debajo de la mandíbula inferior sensibles al tacto y al gusto.

bolo alimenticio. Masa que forma la comida después de ser masticada y mezclada con la saliva, para empezar la digestión.

cirros. Diminutos pelos que tienen algunos animales y que les sirven para impulsarse y para recibir estímulos químicos.

córneo. Que en su composición contiene sustancias que le dan una consistencia parecida al cuerno.

corola. Es el segundo verticilo de la flor, y está formado por unas hojitas generalmente coloreadas que se llaman pétalos.

deglución. Es el acto de tragar o engullir.

epitelio. Tejido que recubre todas las partes superficiales del organismo, tanto externas como internas.

espejuelos. Superficie en forma de láminas brillantes que pueden ser muy llamativas.

evolución. Cambios y transformaciones que han experimentado los seres vivos a lo largo de millones de años para adaptarse a las diferentes condiciones ambientales.

glándulas. Órganos que elaboran sustancias indispensables para el funcionamiento del organismo o que eliminan los residuos perjudiciales.

molécula. Agrupación de átomos que constituyen la mínima porción de una sustancia que puede existir en libertad sin perder sus propiedades.

papilas gustativas. Pequeñas prominencias de la superficie de la lengua, que sirven para la recepción del sentido del gusto.

peces teleósteos. Clase de peces que tienen el esqueleto osificado. Incluye a la mayoría de los peces.

tarso. Parte final de las patas de los insectos. En muchos insectos se localizan órganos sensitivos en el tarso (olfativos, auditivos, gustativos, etc.).

Índice